Sami et Julie
attendent Noël

Emmanuelle Massonaud

hachette
EDUCATION

Avec Sami et Julie, lire est un plaisir !

Avant de lire l'histoire

- Parlez ensemble du titre et de l'illustration en couverture, afin de préparer la compréhension globale de l'histoire.
- Vous pouvez, dans un premier temps, lire l'histoire en entier à votre enfant, pour qu'ensuite il la lise seul.
- Si besoin, proposez les activités de préparation à la lecture aux pages 4 et 5. Elles permettront de déchiffrer les mots les plus difficiles.

Après avoir lu l'histoire

- Parlez ensemble de l'histoire en posant les questions de la page 30 : « As-tu bien compris l'histoire ? »
- Vous pouvez aussi parler ensemble de ses réactions, de son avis, en vous appuyant sur les questions de la page 31 : «Et toi, qu'en penses-tu ?»

Bonne lecture !

Couverture : Mélissa Chalot
Maquette intérieure : Mélissa Chalot
Mise en pages : Typo-Virgule
Illustrations : Thérèse Bonté
Édition : Laurence Lesbre
Relecture ortho-typo : Jean-Pierre Leblan

ISBN : 978-2-01-290395-1
© Hachette Livre 2016.

Les personnages de l'histoire

1 Montre le dessin quand tu entends le son (è) comme dans lumi<u>è</u>re.

2 Montre le dessin quand tu entends le son (an) comme dans gr<u>an</u>d.

3 Lis ces syllabes.

en	an	cou	rier	ca	len
dri	gé	nial	pou	voir	vri

4 Lis ces mots-outils.

les vous c'est qui avec

alors quoi il y a là déjà

5 Lis les mots de l'histoire.

calendrier

lumières

lettre

Père Noël

sapin

neige

– Les enfants !

Vous avez du courrier,

dit Papa.

– Les calendriers !

s'écrie Julie.

Papi y a pensé !

– Génial ! On va pouvoir ouvrir la première fenêtre le premier décembre ! dit Julie.

– Et moi alors ? s'indigne Sami.

– Regarde ! Il y a écrit Sami, là ! dit Julie.

9

Ce soir, à la sortie

de l'école, il fait déjà nuit.

– Génial ! Ils ont mis

les lumières de Noël !

dit Julie.

– Chouette ! Des catalogues

pour faire la liste

du Père Noël !

ajoute Sami.

Déjà le 12 décembre :

il est temps d'écrire

les lettres pour le Père Noël.

– Sami, demande une

trottinette pour qu'on fasse

la course, dit Julie.

13

– Qui m'accompagne pour
aller chercher le sapin ?
demande Papa.

– Moi, moi ! bondit Sami.

– Cette année, tu ne
le prends pas trop grand !
insiste Maman.

– Promis ! répond Papa.

– Il est chouette, celui-là ?

propose Sami.

– Trop riquiqui,

proteste Papa.

Non, celui-ci est parfait !

– Allez ! On est presque

arrivés ! encourage Papa.

– Ça va ? Pas trop fatigué ?

demande Sami.

– Ça va... Ça va...

– Et voilà ! Ce n'était pas

plus compliqué que ça !

dit fièrement Papa.

Julie, c'est à toi !

Et que l'étoile

nous illumine !

20

Avec l'aide de Maman,

les enfants décorent

le sapin.

– Je vous donne ma pâte

à sel, dit Sami.

– C'est la catastrophe !

dit Sami. J'ai oublié

de prévenir le Père Noël

qu'on partait chez Papi

et Mamie pour Noël !

RECETTES

Bûche de Noël

Maman rassure Sami :

– Mais, mon petit chéri,

le Père Noël sait tout !

Il trouvera tes souliers

le 24 décembre !

– J'ai hâte ! dit Sami.

Sami et Julie

attendent Noël...

– Oh ! Il neige, dit Julie.

– C'est joli ! dit Sami.

As-tu bien compris l'histoire ?

1 Qui envoie les calendriers à Sami et Julie ?

2 Selon Julie, que doit demander Sami au Père Noël ? Pourquoi ?

3 Que vont faire Sami et Papa ensemble ?

4 Pourquoi Sami s'inquiète-t-il au sujet du Père Noël ?

5 Qu'arrive-t-il à la fin de l'histoire ?

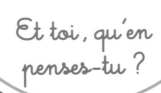

Et toi, qu'en penses-tu ?

Aimes-tu les préparatifs de Noël ? Pourquoi ?

Que fais-tu pour préparer Noël ?

Qu'as-tu demandé comme cadeau de Noël ?

As-tu un calendrier pour attendre Noël ?

À ton avis, est-ce que c'est important d'avoir beaucoup de cadeaux ?

Lire pas à pas

avec Sami et Julie

Début de CP

Niveau 1

a e i o u y é/è/ê
b d f l m n p r s t v
et/est un/une

Milieu de CP

Niveau 2

c/k/qu ch h ph
z/s=z ce/ci
ou/on an/en oi/oin
in ei/ai eu/œu
les/des/mes/tes/ses ils/elles
g/j ge/gi gn gu
er/ier/ez/et

Fin de CP

Niveau 3

ef/er/ec/ep/el/es
ill/aill/eill/euill/ouill x y w
sp/st/sc ion/ien
au/eau ain/ein ti=si

Achevé d'imprimer en Espagne
par UNIGRAF
Dépôt légal : Septembre 2017
Collection nº 12 - Édition 03
32/7608/4